D0510822

Tsunami Systems

A NEW WAVE OF IDEAS

UNA NUEVA OLA DE IDEAS

LEARN 101 VERBS IN 1 DAY

APRENDE EN 1 DÍA 101 VERBOS

RORY RYDER

Francisco Garnica

Tsunami Systems

Published by
Tsunami Systems, S.L.
Pje Mallofre, 3 Bajos, Sarriá, Barcelona, Spain
www.learnverbs.com

First Edition Tsunami Systems S.L. 2004
First reprint Tsunami Systems S.L. 2005
Copyright © Rory Ryder 2004
Copyright © Illustrations Rory Ryder 2004
Copyright © Coloured verb tables Rory Ryder 2004
Intellectual Copyright © Rory Ryder 2004

The Author asserts the moral right to be identified as the author of this work under the copyright designs and patents Act 1988.

English Version
ISBN 84-609-4545-6
Illustrated by Francisco Garnica
Photoshop specialist by Olivia Branco, olivia_branco@yahoo.es
Printed and bound by IGOL S.A.
San Gabriel, 50, 08950, Esplugues de Llobregat, Spain

Editorial
Tsunami Systems, S.L.
Pje Mallofre, 3 Bajos, Sarriá, Barcelona, Spain
www.learnverbs.com

Primera Edition Tsunami Systems S.L. 2004
© Rory Ryder 2004
© Ilustraciones, Rory Ryder 2004
© Tablas de color de los verbos, Rory Ryder 2004
© Propiedad Intelectual Rory Ryder 2004

Versión Español
ISBN 84-609-4549-9
Ilustraciones - Francisco Garnica
Printed and bound IGOL S.A.
San Gabriel, 50, 08950, Esplugues de Llobregat, Spain

All "Learn 101 verbs in a day" books are protected as Intellectual Property.

The unique teaching method of all "LEARN 101 VERBS IN 1 DAY" books (in any language) is based on these 3 principles and protected by Intellectual Property Laws:

1) Layout of any verb conjugations in any columns and rows in any different colours.
2) Any type of image which whilst describing the "actions" and meaning of a verb include the actual word within each picture.
3) Audio pronunciation in any format to correspond with this unique verb table formula.

Any publishers or persons wishing to contact Tsunami Systems about the Copyright or Intellectual Property Rights of these books should contact info@learnverbs.com

Todos los "Aprende en un dia 101 verbos en..." están protegidos como Propiedad Intelectual.

El método único de enseñanza de todos los libros "Aprende en un dia 101 verbos en..." (en cualquier idioma) esta basado en estos tres principios, y están protegidos por la ley de la Propiedad Intelectual como:

1) La presentación de cualquier conjugación de verbos en columnas / filas y colores.
2) Cualquier tipo de imágen que describa la acción y / o el significado de un verbo, incorpora el verbo en su forma infinitiva dentro de cada imágen.
3) La pronunciación de audio en cualquier formato que corresponda a esta formula única de tabla de verbos.

Cualquier editorial o persona que desee contactar con la editorial Tsunami Systems sobre el copyright o la propiedad intelectual de los derechos de este libro, debe contactar con: info@learverbs.com

Tsunami Systems

A NEW WAVE OF IDEAS
UNA NUEVA OLA DE IDEAS

Tsunami Systems was founded in 2003 in Barcelona, one of the world's most dynamic cities. Our company has quickly established itself internationally as a leader in innovative approaches to language learning. The `Learn 101 Verbs in 1 Day´ series, with its `unique interactive pronunciation website´ is a clear example of Tsunami Systems' philosophy. Our books are radically different from all other verb books as they encourage independent learning, whilst injecting fun and humour into the process.

Barcelona, una de las ciudades más cosmopolitas del mundo, vio nacer Tsunami Systems en el año 2003.A pesar de su corta vida, esta editorial se ha convertido en líder internacional gracias a su innovador método de aprendizaje de lenguas. La serie Aprende 101 verbos en 1 día y la página web de Pronunciación Interactiva que le acompaña son, sin duda, una clara muestra de la filosofía de Tsunami Systems: podrá aprender a su ritmo y con total autonomía las formas verbales y su pronunciación.'

to Barcelona

a Barcelona

Reviews

Sue Tricio -Thurrock & Basildon College – *"This book is easy to refer to and very good for learning the raw forms of the verbs and the pictures are a great help for triggering the memory. The way the story comes together is quite amazing and students found the colour-coded verb tables extremely useful, allowing the eye to go straight to the tense they are working on. Students have found the speaking pronunciation on your website very useful and I would say that when it is used correctly this book is idiot-proof."*

Suzi Turner – Hulme Hall Grammar School – *"An invaluable and motivational learning tool which is bright and focused and easy for pupils to relate to. I think it's an extremely clever idea and I wish I'd thought of it myself - and got it published! Both the pupils & myself loved using it."*

Mrs. K. Merino – Head of Spanish – North London Collegiate School – *"My students really enjoy the pictures because they are intriguing and amusing and they thought the verb tables were excellent for revising for their GCSE Spanish exams."*

Maggie Bowen – Head of Year 11 – Priory Community School -*"An innovative & motivating book that fires the imagination, turning grammar into a non-frightening & enlightening element of learning a language. A much awaited medium that helps to accelerate student's learning & achievement."*

Karen Brooks – Spanish Teacher – Penrice Community College – *"Verbs are bought to life in this book through skilful use of humorous storytelling. This innovative approach to language learning transforms an often dull and uninspiring process into one which is refreshing and empowering."*

Susana Boniface - Kidderminster College -*"Beautifully illustrated, amusing drawings, guaranteed to stay easily in the mind. A very user-friendly book. Well Done!"*

Sandra Browne Hart – Great Cornard Technology College -*"Inspired – the colour-coding reinforces the dependable patterns of Spanish verbs, in* *whatever tense. The pictures are always entertaining - a reminder that we also learn through laughter and humour."*

R. Place – Tyne Metropolitan College – *"The understanding and learning of verbs is probably the key to improving communication at every level. With this book verbs can be learnt quickly and accurately."*

Mrs. A. Coles – High Down School – *"Superb presentation. Very clear colour-coding of different tenses. Nice opportunity to practice the pronunciation. It appealed to one colleague who had never done Spanish but wanted to get started 'after seeing the book.' A great compliment to you!"*

Lynda McTier – Lipson Community College - *"No more boring grammar lessons!!! This book is a great tool for learning verbs through excellent illustrations. A must-have for all language learners."*

Christine Ransome – Bearwood College - *"A real gem of a linguistic tool which will appeal to both the serious scholar and the more casual learner. The entertaining presentation of basic grammar is inspirational, and its simplicity means more retained knowledge, especially amongst dyslexic language scholars."*

Ann Marie Buteman – St Edwards – *"The book is attractive, enlightening and intriguing. The students enjoy the pictures and retain the meaning. The coloured system for tenses is great! Visually, the book maintains enthusiasm and inspires and accelerates the assimilation of verbs and tenses. Superb!"*

Paul Delaney- St Martins -*"We have relatively few Spanish students but we have to get them to GCSE quickly. This verb guide is an ideal supplement to their textbooks and an invaluable aid for coursework success. The free online resources are an added bonus and 100% of all students thought this website was a good idea."*

Mrs. Eames - Akeley Wood School – *Good quality, easy to use – and a fantastic idea of colouring the verbs. It's a super facility to have pronunciation on the website. Students have turned around from lack of enthusiasm & feeling overwhelmed by verbs to 'this is fun, Miss!' and learning 3 verbs in a lesson – a first, very impressed. This book has renewed my interest too."*

Opiniones

La opinión de PROFESORES

Maggie Bowen – *Priory Community School* – *"Innovador e imaginativo. Acerca la gramática de forma entendedora al alumno, acelerando su aprendizaje"*.

Karen Brooks – *Penrice Community College* – *"Los verbos aparecen contextualizados gracias al uso de historias ocurrentes y divertidas. Un enfoque innovador que rompe con la monotonía del estudio gramatical"*.

Mrs G Bartolome – *Plockton High School* – *"Una bocanada de aire fresco lleno de creatividad"*.

Susana Boniface – *Kidderminster College* – *"Magníficamente ilustrado, visualmente atractivo. De lectura fácil y comprensible"*.

Dr Marianne Ofner – *Whitgift School* – *"Ideal para aprender los veros de forma amena, promoviendo la autonomía de los alumnos"*.

Gail Bruce – *Woodhouse Grove School* – *"Estoy encantado con la respuesta positiva de mis alumnos tras utilizar este método. Enhorabuena"*.

Janet R Holland – *Moorland School* – *"Estructura clara y simple con ilustraciones atractivas y llenas de colorido. Su guía de pronunciación es muy útil para la preparación de exámenes orales."*.

Cheryl Smedley – *Manchester Academy* – *"Da respuesta a las necesidades individuales de los alumnos".*

R Place – *Tynemouth College* – *"Entender y dominar las formas verbales es esencial para mejorar la expresión oral. Con este libro el alumno aprenderá los verbos de forma rápida y eficaz".*

Mrs C Quirk – *Northwood College* – *"Su presentación humaniza un aspecto gramatical complicado y provoca el interés del lector, facilitando la memorización o el repaso".*

y ESTUDIANTES

Will Fergie – *(EBAY)* – *"El método es el sueño de cualquier estudiante. Interesante, sencillo de usar, claro, conciso y divertido. Un nuevo concepto en la enseñanza de idiomas".*

Alice Dobson – *Hull High School* – *"Un libro único y esencial para comprender las formas verbales con unas ilustraciones excepcionales".*

Tamara Oughtred – *Hull Grammar School* – *"Enhorabuena por crear un libro que no haga bostezar a los cinco minutos de lectura".*

Introduction

Memory When learning a language, we often have problems remembering the words; it does not mean we have totally forgotten them. It just means that we can't recall them at that particular moment. This book is designed to help people recall the verbs and their conjugations instantly.

The Research Research has shown that one of the most effective ways to remember something is by association. The way the verb (keyword) has been hidden in each illustration to act as a retrieval cue stimulates long-term memory. This method is 7 times more effective than passively reading and responding to a list of verbs.

> *"I like the idea of pictures to help students learn verbs. This approach is radically different from many other more traditional approaches. I feel that many students will find this approach effective and extremely useful in their language learning."*
>
> **Cathy Yates** – *Mid Warwickshire College*

New Approach Most grammar and verb books relegate the vital task of learning verbs to a black & white world of bewildering tables, leaving the student bored and frustrated. LEARN 101 VERBS IN 1 DAY is committed to clarifying the importance of this process through stimulating the senses not by dulling them.

Beautiful Illustrations The illustrations come together to form a story, an approach beyond conventional verb books. To make the most of this book, spend time with each picture to become familiar with everything that is happening. The pictures construct a story involving characters, plots & subplots, with clues

> *"An innovative way of looking at the often tedious task of learning verbs. Clever illustrations are memorable and this is the way forward – visual interest is vital for the modern day pupil."*
>
> **Tessa Judkins** – *Canbury School*

that add meaning to other pictures. Some pictures are more challenging than others, adding to the fun but, more importantly, aiding the memory process.

Keywords We have called the infinitive the 'keyword' to refer to its central importance in remembering the 36 ways it can be used. Once you have located the keyword and made the connection with the illustration, you can start to learn each colour-tense.

> "Apart from the colourful and clear layout of the verbs, the wonderful pictures are a source of inspiration even for the most bored of minds and can lead to all kinds of discussions at different levels of learning. Hiding the verbs in the picture is a great version of "Where's Wally" AND the book has a story-line!"
>
> **Andy Lowe** – The Bolitho School

Colour-Coded Verb Tables The verb tables are designed to save learners valuable time by focusing their attention and allowing them to make immediate connections between the subject and verb. Making this association clear & simple from the beginning gives them more confidence to start speaking the language.

Independent Learning LEARN 101 VERBS IN 1 DAY can be used as a self-study book, or it can be used as part of a teacher-led course. Pronunciation of all the verbs and their conjugations (spoken by a native speaker) are available online at:

> "The online pronunciation guide is an excellent tool. Why bother with silly phonetics when you can actually hear a native speaker pronounce it?"
>
> www.barcelonaconnect.com

◀))) www.learnverbs.com.

Master the Verbs Once you are confident with each colour-tense, congratulate yourself because you will have learnt over 3600 verb forms - an achievement that takes some people years to master!

Introducción

Recordar   El hecho de no recordar un verbo en un momento determinado no significa que lo hayamos olvidado por completo. Este libro está diseñado para ayudarnos a recordar rápidamente el verbo y sus conjugaciones.

Ilustraciones   Las características más innovadoras de este libro son la ilustración de una situación para entender o recordar el significado del verbo en cuestión y la utilización de un código de colores para identificar los tiempos verbales.

> *"Me encanta la idea de usar dibujos para ayudar a los alumnos a aprender los verbos. Este enfoque es totalmente diferente al utilizado por la mayoría de gramáticas tradicionales. Estoy convencida de que para muchos alumnos este método será una herramienta útil y eficaz".*
>
> **Cathy Yates** – *Mid Warwickshire College*

Enfoque Revolucionario   Learn 101 Verbs in 1 Day representa un enfoque revolucionario en el aprendizaje de idiomas, centrándose en los verbos más utilizados y facilitando su rápida memorización o su simple repaso.

Aprendizaje Básico   No cabe duda que el aprendizaje de las conjugaciones verbales es básico para alcanzar el dominio de cualquier lengua. A pesar de ello, la mayoría de gramáticas relegan este aspecto a una multitud de tablas desconcertantes y monótonas que simplemente consiguen la frustración y el abandono del alumno.

> *"Presentación colorista e ilustraciones atractivas que motivan al lector y le ayudan a reconocer los verbos".*
>
> **Kant Mann** – *Beechen Cliff*

En cambio, el libro que tiene en sus manos hará del estudio de los tiempos verbales una experiencia divertida y gratificante gracias al uso de ilustraciones llamativas y tablas de colores, ahorrándole tiempo y animándole al uso de la expresión oral del idioma.

Innovación Pedagógica   Diversos estudios han demostrado que una de las estrategias más eficaces que existen para recordar lo aprendido es la asociación de ideas. Por ello, la forma en la que el verbo se esconde en cada ilustración no es casual. El aprendizaje activo y no la lectura pasiva de un listado de infinitivos quintuplica su facilidad para una memorización posterior.

Para aprovechar al máximo este libro, examine con detenimiento cada ilustración hasta familiarizarse con todos los detalles. Descubrirá un relato, personajes que aparecen en diversas ocasiones, simbolismos, argumentos principales y secundarios e ilustraciones que se complementan las unas con las otras.

En algunos casos, le será difícil descifrar el verbo que describe la situación. Pero no se preocupe, ello estimulará tanto su interés como la memoria.

> *"Claro y útil para distinguir las formas verbales. Considerado el mejor libro de verbos por los alumnos".*
>
> **Andrea White** – *Bristol Grammar School*

Palabras Clave
El infinitivo constituye la palabra clave ya que mediante su aprendizaje y visualización conseguirá recordar fácilmente las treinta y seis formas en que puede ser usado. Una vez haya localizado el verbo y la ilustración, puede empezar a estudiar cada color (que marca un tiempo verbal)

Estimulando el Aprendizaje Autónomo
Learn 101 Verbs in 1 day puede ser utilizado como libro de autoaprendizaje o puede complementar cualquier método o clase. La pronunciación de los verbos y sus respectivas conjugaciones puede consultarse en Internet en la siguiente página web:

> *"La guía de pronunciación online es una herramienta excelente. ¿Por qué complicarse en explicar símbolos fonéticos cuando se puede oír la pronunciación de un nativo?"*
>
> *www.barcelonaconnect.com*

🔊))) www.learnverbs.com.

La guía de pronunciación online es una herramienta excelente. ¿Por qué complicarse en explicar símbolos fonéticos cuando se puede oír la pronunciación de un nativo?

Domine los Verbos Rápidamente
Una vez se haya familiarizado con cada color (tiempo verbal), ¡enhorabuena! – Significa que ha aprendido más de 3600 formas verbales en un tiempo récord, ya que muchas personas tardan años en conseguirlo.

Age Guide

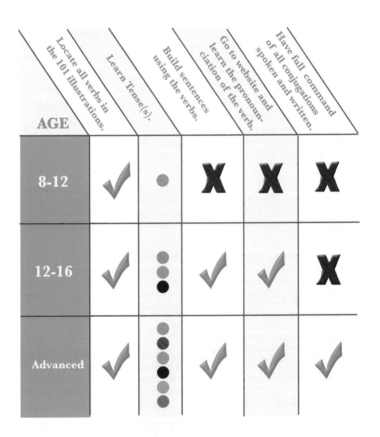

AGE	Locate all verbs in the 101 illustrations.	Learn Tense(s).	Build sentences using the verbs.	Go to website and learn the pronunciation of the verb.	Have full command of all conjugations spoken and written.
8-12	✓	●	X	X	X
12-16	✓	●●●	✓	✓	X
Advanced	✓	●●●●●●●	✓	✓	✓

Manual de uso por edades

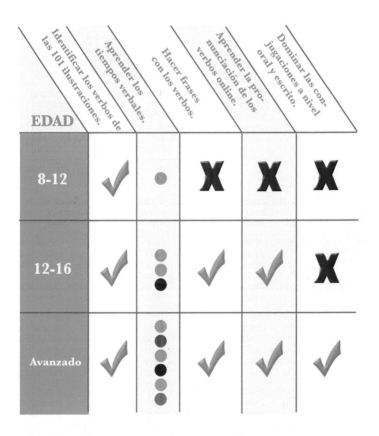

EDAD	Identificar los verbos de las 101 ilustraciones.	Aprender los tiempos verbales.	Hacer frases con los verbos.	Aprender la pronunciación de los verbos online.	Dominar las conjugaciones a nivel oral y escrito.
8-12	✓	●	X	X	X
12-16	✓	●●●	✓	✓	X
Avanzado	✓	●●●●●●	✓	✓	✓

Regular Verbs

	-er Chanter	-ir Finir	-re Entendre
PRÉSENTE	Je chant|e Tu chant|es Il chant|e Nous chant|ons Vous chant|ez Ils chant|ent	Je fini|s Tu fini|s Il fini|t Nous fini|ssons Vous fini|ssez Ils fini|ssent	J'entend|s Tu entend|s Il entend|- Nous entend|ons Vous entend|ez Ils entend|ent
IMPARFAIT	Je chant|ais Tu chant|ais Il chant|ait Nous chant|ions Vous chant|iez Ils chant|aient	Je fini|ssais Tu fini|ssais Il fini|ssait Nous fini|ssions Vous fini|ssiez Ils fini|ssaient	J'entend|ais Tu entend|ais Il entend|ait Nous entend|ions Vous entend|iez Ils entend|aient
PASSÉ COMPOSÉ	J'ai chant|é Tu as chant|é Il a chant|é Nous avons chant|é Vous avez chant|é Ils ont chant|é	J'ai fini Tu as fini Il a fini Nous avons fini Vous avez fini Ils ont fini	J'ai entend|u Tu as entend|u Il a entend|u Nous avons entend|u Vous avez entend|u Ils ont entend|u
FUTUR	Je chanter|ai Tu chanter|as Il chanter|a Nous chanter|ons Vous chanter|ez Ils chanter|ont	Je finir|ai Tu finir|as Il finir|a Nous finir|ons Vous finir|ez Ils finir|ont	J'entendr|ai Tu entendr|as Il entendr|a Nous entendr|ons Vous entendr|ez Ils entendr|ont
CONDI-TIONNEL	Je chanter|ais Tu chanter|ais Il chanter|ait Nous chanter|ions Vous chanter|iez Ils chanter|aient	Je finir|ais Tu finir|ais Il finir|ait Nous finir|ions Vous finir|iez Ils finir|aient	J'entendr|ais Tu entendr|ais Il entendr|ait Nous entendr|ions Vous entendr|iez Ils entendr|aient
SUBJONCTIF	Je chant|e Tu chant|es Il chant|e Nous chant|ions Vous chant|iez Ils chant|ent	Je fini|sse Tu fini|sses Il fini|sse Nous fini|ssions Vous fini|ssiez Ils fini|ssent	J'entend|e Tu entend|es Il entend|e Nous entend|ions Vous entend|iez Ils entend|ent

Sub.	Présent	Imparfait	Passé Composé	Futur	Conditionnel	Subjonctif
je (j')	dirige	dirigeais	ai dirigé	dirigerai	dirigerais	dirige
tu	diriges	dirigeais	as dirigé	dirigeras	dirigerais	diriges
il elle on	dirige	dirigeait	a dirigé	dirigera	dirigerait	dirige
nous	dirigeons	dirigions	avons dirigé	dirigerons	dirigerions	dirigions
vous	dirigez	dirigiez	avez dirigé	dirigerez	dirigeriez	dirigiez
ils elles	dirigent	dirigeaient	ont dirigé	dirigeront	dirigeraient	dirigent

Sub.	Présent	Imparfait	Passé Composé	Futur	Conditionnel	Subjonctif
je (j')	ai	avais	ai eu	aurai	aurais	aie
tu	as	avais	as eu	auras	aurais	aies
il elle on	a	avait	a eu	aura	aurait	ait
nous	avons	avions	avons eu	aurons	aurions	ayons
vous	avez	aviez	avez eu	aurez	auriez	ayez
ils elles	ont	avaient	ont eu	auront	auraient	aient

🔊))) learnverbs.com

Sub.	Présent	Imparfait	Passé Composé	Futur	Conditionnel	Subjonctif
je (j')	veux	voulais	ai voulu	voudrai	voudrais	veuille
tu	veux	voulais	as voulu	voudras	voudrais	veuilles
il elle on	veut	voulait	a voulu	voudra	voudrait	veuille
nous	voulons	voulions	avons voulu	voudrons	voudrions	voulions
vous	voulez	vouliez	avez voulu	voudrez	voudriez	vouliez
ils elles	veulent	voulaient	ont voulu	voudront	voudraient	veuillent

🔊))) learnverbs.com

Sub.	Présent	Imparfait	Passé Composé	Futur	Conditionnel	Subjonctif
je (j')	puis peux	pouvais	ai pu	pourrai	pourrais	puisse
tu	peux	pouvais	as pu	pourras	pourrais	puisses
il elle on	peut	pouvait	a pu	pourra	pourrait	puisse
nous	pouvons	pouvions	avons pu	pourrons	pourrions	puissions
vous	pouvez	pouviez	avez pu	pourrez	pourriez	puissiez
ils elles	peuvent	pouvaient	ont pu	pourront	pourraient	puissent

🔊))) learnverbs.com

Sub.	Présent	Imparfait	Passé Composé	Futur	Conditionnel	Subjonctif
je (j')	crée	créais	ai créé	créerai	créerais	crée
tu	crées	créais	as créé	créeras	créerais	crées
il elle on	crée	créait	a créé	créera	créerait	crée
nous	créons	créions	avons créé	créerons	créerions	créions
vous	créez	créiez	avez créé	créerez	créeriez	créiez
ils elles	créent	créaient	ont créé	créeront	créeraient	créent

))) learnverbs.com

Sub.	Présent	Imparfait	Passé Composé	Futur	Conditionnel	Subjonctif
je (j')	peins	peignais	ai peint	peindrai	peindrais	peigne
tu	peins	peignais	as peint	peindras	peindrais	peignes
il elle on	peint	peignait	a peint	peindra	peindrait	peigne
nous	peignons	peignions	avons peint	peindrons	peindrions	peignions
vous	peignez	peigniez	avez peint	peindrez	peindriez	peigniez
ils elles	peignent	peignaient	ont peint	peindront	peindraient	peignent

((•))) learnverbs.com

Sub.	Présent	Imparfait	Passé Composé	Futur	Conditionnel	Subjonctif
je (j')	danse	dansais	ai dansé	danserai	danserais	danse
tu	danses	dansais	as dansé	danseras	danserais	danses
il elle on	danse	dansait	a dansé	dansera	danserait	danse
nous	dansons	dansions	avons dansé	danserons	danserions	dansions
vous	dansez	dansiez	avez dansé	danserez	danseriez	dansiez
ils elles	dansent	dansaient	ont dansé	danseront	danseraient	dansent

Sub.	Présent	Imparfait	Passé Composé	Futur	Conditionnel	Subjonctif
je (j')	lis	lisais	ai lu	lirai	lirais	lise
tu	lis	lisais	as lu	liras	lirais	lises
il elle on	lit	lisait	a lu	lira	lirait	lise
nous	lisons	lisions	avons lu	lirons	lirions	lisions
vous	lisez	lisiez	avez lu	lirez	liriez	lisiez
ils elles	lisent	lisaient	ont lu	liront	liraient	lisent

🔊))) learnverbs.com

Sub.	Présent	Imparfait	Passé Composé	Futur	Conditionnel	Subjonctif
je (j')	cesse	cessais	ai cessé	cesserai	cesserais	cesse
tu	cesses	cessais	as cessé	cesseras	cesserais	cesses
il elle on	cesse	cessait	a cessé	cessera	cesserait	cesse
nous	cessons	cessions	avons cessé	cesserons	cesserions	cessions
vous	cessez	cessiez	avez cessé	cesserez	cesseriez	cessiez
ils elles	cessent	cessaient	ont cessé	cesseront	cesseraient	cessent

🔊 learnverbs.com

Sub.	Présent	Imparfait	Passé Composé	Futur	Conditionnel	Subjonctif
je (j')	trouve	trouvais	ai trouvé	trouverai	trouverais	trouve
tu	trouves	trouvais	as trouvé	trouveras	trouverais	trouves
il elle on	trouve	trouvait	a trouvé	trouvera	trouverait	trouve
nous	trouvons	trouvions	avons trouvé	trouverons	trouverions	trouvions
vous	trouvez	trouviez	avez trouvé	trouverez	trouveriez	trouviez
ils elles	trouvent	trouvaient	ont trouvé	trouveront	trouveraient	trouvent

(((learnverbs.com

Sub.	Présent	Imparfait	Passé Composé	Futur	Conditionnel	Subjonctif
je (j')	grandis	grandissais	ai grandi	grandirai	grandirais	grandisse
tu	grandis	grandissais	as grandi	grandiras	grandirais	grandisses
il elle on	grandit	grandissait	a grandi	grandira	grandirait	grandisse
nous	grandissons	grandissions	avons grandi	grandirons	grandirions	grandissions
vous	grandissez	grandissiez	avez grandi	grandirez	grandiriez	grandissiez
ils elles	grandissent	grandissaient	ont grandi	grandiront	grandiraient	grandissent

🔊))) learnverbs.com

Sub.	Présent	Imparfait	Passé Composé	Futur	Conditionnel	Subjonctif
je (j')	apporte	apportais	ai apporté	apporterai	apporterais	apporte
tu	apportes	apportais	as apporté	apporteras	apporterais	apportes
il elle on	apporte	apportait	a apporté	apportera	apporterait	apporte
nous	apportons	apportions	avons apporté	apporterons	apporterions	apportions
vous	apportez	apportiez	avez apporté	apporterez	apporteriez	apportiez
ils elles	apportent	apportaient	ont apporté	apporteront	apporteraient	apportent

◀))) learnverbs.com

Sub.	Présent	Imparfait	Passé Composé	Futur	Conditionnel	Subjonctif
je (j')	cuisine	cuisinais	ai cuisiné	cuisinerai	cuisinerais	cuisine
tu	cuisines	cuisinais	as cuisiné	cuisineras	cuisinerais	cuisines
il elle on	cuisine	cuisinait	a cuisiné	cuisinera	cuisinerait	cuisine
nous	cuisinons	cuisinions	avons cuisiné	cuisinerons	cuisinerions	cuisinions
vous	cuisinez	cuisiniez	avez cuisiné	cuisinerez	cuisineriez	cuisiniez
ils elles	cuisinent	cuisinaient	ont cuisiné	cuisineront	cuisineraient	cuisinent

🔊 learnverbs.com

Sub.	Présent	Imparfait	Passé Composé	Futur	Conditionnel	Subjonctif
je (j')	goûte	goûtais	ai goûté	goûterai	goûterais	goûte
tu	goûtes	goûtais	as goûté	goûteras	goûterais	goûtes
il elle on	goûte	goûtait	a goûté	goûtera	goûterait	goûte
nous	goûtons	goûtions	avons goûté	goûterons	goûterions	goûtions
vous	goûtez	goûtiez	avez goûté	goûterez	goûteriez	goûtiez
ils elles	goûtent	goûtaient	ont goûté	goûteront	goûteraient	goûtent

Sub.	Présent	Imparfait	Passé Composé	Futur	Conditionnel	Subjonctif
je (j')	ouvre	ouvrais	ai ouvert	ouvrirai	ouvrirais	ouvre
tu	ouvres	ouvrais	as ouvert	ouvriras	ouvrirais	ouvres
il elle on	ouvre	ouvrait	a ouvert	ouvrira	ouvrirait	ouvre
nous	ouvrons	ouvrions	avons ouvert	ouvrirons	ouvririons	ouvrions
vous	ouvrez	ouvriez	avez ouvert	ouvrirez	ouvririez	ouvriez
ils elles	ouvrent	ouvraient	ont ouvert	ouvriront	ouvriraient	ouvrent

🔊 learnverbs.com

Sub.	Présent	Imparfait	Passé Composé	Futur	Conditionnel	Subjonctif
je (j')	bois	buvais	ai bu	boirai	boirais	boive
tu	bois	buvais	as bu	boiras	boirais	boives
il elle on	boit	buvait	a bu	boira	boirait	boive
nous	buvons	buvions	avons bu	boirons	boirions	buvions
vous	buvez	buviez	avez bu	boirez	boiriez	buviez
	boivent	buvaient	ont bu	boiront	boiraient	boivent

🔊))) learnverbs.com

Sub.	Présent	Imparfait	Passé Composé	Futur	Conditionnel	Subjonctif
je (j')	chante	chantais	ai chanté	chanterai	chanterais	chante
tu	chantes	chantais	as chanté	chanteras	chanterais	chantes
il elle on	chante	chantait	a chanté	chantera	chanterait	chante
nous	chantons	chantions	avons chanté	chanterons	chanterions	chantions
vous	chantez	chantiez	avez chanté	chanterez	chanteriez	chantiez
ils elles	chantent	chantaient	ont chanté	chanteront	chanteraient	chantent

Sub.	Présent	Imparfait	Passé Composé	Futur	Conditionnel	Subjonctif
je (j')	dors	dormais	ai dormi	dormirai	dormirais	dorme
tu	dors	dormais	as dormi	dormiras	dormirais	dormes
il elle on	dort	dormait	a dormi	dormira	dormirait	dorme
nous	dormons	dormions	avons dormi	dormirons	dormirions	dormions
vous	dormez	dormiez	avez dormi	dormirez	dormiriez	dormiez
ils elles	dorment	dormaient	ont dormi	dormiront	dormiraient	dorment

🔊))) learnverbs.com

Sub.	Présent	Imparfait	Passé Composé	Futur	Conditionnel	Subjonctif
je (j')	descends	descendais	suis descendu(e)	descendrai	descendrais	descende
tu	descends	descendais	es descendu(e)	descendras	descendrais	descendes
il elle on	descend	descendait	est descendu(e)	descendra	descendrait	descende
nous	descendons	descendions	sommes descendu(e)s	descendrons	descendrions	descendions
vous	descendez	descendiez	êtes descendu(e)(s)	descendrez	descendriez	descendiez
ils elles	descendent	descendaient	sont descendu(e)s	descendront	descendarient	descendent

🔊))) learnverbs.com

Sub.	Présent	Imparfait	Passé Composé	Futur	Conditionnel	Subjonctif
je (j')	m'assieds	m'asseyais	me suis assis(e)	m'assiérai	m'asseiérais	m'asseye
tu	t'assieds	t'asseyais	t'es assis(e)	t'assiéras	t'assiérais	t'asseyes
il elle on	s'assied	s'asseyait	s'est assis(e)	s'assiéra	s'assiérait	s'asseye
nous	nous asseyons	nous asseyions	nous sommes assis(es)	nous assiérons	nous assiérions	nous assoyions
vous	vous asseyez	vous asseyiez	vous êtes assis(es)	vous assiérez	vous assiériez	vous asseyions
ils elles	s'asseyent	s'asseyaient	se sont assis(es)	s'assiéront	s'assiéraient	s'asseyent

🔊))) learnverbs.com

Sub.	Présent	Imparfait	Passé Composé	Futur	Conditionnel	Subjonctif
je (j')	joue	jouais	ai joué	jouerai	jouerais	joue
tu	joues	jouais	as joué	joueras	jouerais	joues
il elle on	joue	jouait	a joué	jouera	jouerait	joue
nous	jouons	jouions	avons joué	joucrons	jouerions	jouions
vous	jouez	jouiez	avez joué	jouerez	joueriez	jouiez
ils elles	jouent	jouaient	ont joué	joueront	joueraient	jouent

🔊))) learnverbs.com

Sub.	Présent	Imparfait	Passé Composé	Futur	Conditionnel	Subjonctif
je (j')	mets	mettais	ai mis	mettrai	mettrais	mette
tu	mets	mettais	as mis	mettras	mettrais	mettes
il elle on	met	mettait	a mis	mettra	mettrait	mette
nous	mettons	mettions	avons mis	mettrons	mettrions	mettions
vous	mettez	mettiez	avez mis	mettrez	mettriez	mettiez
ils elles	mettent	mettaient	ont mis	mettront	mettraient	mettent

(((learnverbs.com

Sub.	Présent	Imparfait	Passé Composé	Futur	Conditionnel	Subjonctif
je (j')	perds	perdais	ai perdu	perdrai	perdrais	perde
tu	perds	perdais	as perdu	perdras	perdrais	perdes
il elle on	perd	perdait	a perdu	perdra	perdrait	perde
nous	perdons	perdions	avons perdu	perdrons	perdrions	perdions
vous	perdez	perdiez	avez perdu	perdrez	perdriez	perdiez
ils elles	perdent	perdaient	ont perdu	perdront	perdraient	perdent

Sub.	Présent	Imparfait	Passé Composé	Futur	Conditionnel	Subjonctif
je (j')	me réveille	me réveillais	me suis réveillé(e)	me réveillerai	me réveillerais	me réveille
tu	te réveilles	te réveillais	t'es réveillé(e)	te réveilleras	te réveillerais	te réveilles
il elle on	se réveille	se réveillait	s'est réveillé(e)	se réveillera	se réveillerait	se réveille
nous	nous réveillons	nous réveillions	nous sommes réveillé(e)s	nous réveillerons	nous réveillerions	nous réveillions
vous	vous réveillez	vous réveilliez	vous êtes réveillé(e)(s)	vous réveillerez	vous réveilleriez	vous réveilliez
ils elles	se réveillent	se réveillaient	se sont réveillé(e)s	se réveilleront	se réveilleraient	se réveillent

🔊))) learnverbs.com

Sub.	Présent	Imparfait	Passé Composé	Futur	Conditionnel	Subjonctif
e (j')	cours	courais	ai couru	courrai	courrais	coure
tu	cours	courais	as couru	courras	courrais	coures
il elle on	court	courait	a couru	courra	courrait	coure
nous	courons	courions	avons couru	courrons	courrions	courions
vous	courez	couriez	avez couru	courrez	courriez	couriez
ils elles	courent	couraient	ont couru	courront	courraient	courent

Sub.	Présent	Imparfait	Passé Composé	Futur	Conditionnel	Subjonctif
je (j')	tombe	tombais	suis tombé(e)	tomberai	tomberais	tombe
tu	tombes	tombais	es tombé(e)	tomberas	tomberais	tombes
il elle on	tombe	tombait	est tombé(e)	tombera	tomberait	tombe
nous	tombons	tombions	sommes tombé(e)s	tomberons	tomberions	tombions
vous	tombez	tombiez	êtes tombé(e)(s)	tomberez	tomberiez	tombiez
ils elles	tombent	tombaient	sont tombé(e)s	tomberont	tomberaient	tombent

🔊))) learnverbs.com

Sub.	Présent	Imparfait	Passé Composé	Futur	Conditionnel	Subjonctif
je (j')	cherche	cherchais	ai cherché	chercherai	chercherais	cherche
tu	cherches	cherchais	as cherché	chercheras	chercherais	cherches
il elle on	cherche	cherchait	a cherché	cherchera	chercherait	cherche
nous	cherchons	cherchions	avons cherché	chercherons	chercherions	cherchions
vous	cherchez	cherchiez	avez cherché	chercherez	chercheriez	cherchiez
ils elles	cherchent	cherchaient	ont cherché	chercheront	chercheraient	cherchent

🔊))) learnverbs.com

Sub.	Présent	Imparfait	Passé Composé	Futur	Conditionnel	Subjonctif
je (j')	sors	sortais	suis sorti(e)	sortirai	sortirais	sorte
tu	sors	sortais	es sorti(e)	sortiras	sortirais	sortes
il elle on	sort	sortait	est sorti(e)	sortira	sortirait	sorte
nous	sortons	sortions	sommes sorti(e)s	sortirons	sortirions	sortions
vous	sortez	sortiez	êtes sorti(e)(s)	sortirez	sortiriez	sortiez
ils elles	sortent	sortaient	sont sorti(e)s	sortiront	sortiraient	sortent

🔊 learnverbs.com

Sub.	Présent	Imparfait	Passé Composé	Futur	Conditionnel	Subjonctif
je (j')	me douche	me douchais	me suis douché(e)	me doucherai	me doucherais	me douche
tu	te douches	te douchais	t'es douché(e)	te doucheras	te doucherais	te douches
il elle on	se douche	se douchait	s'est douché(e)	se douchera	se doucherait	se douche
nous	nous douchons	nous douchions	nous sommes douché(e)s	nous doucherons	nous doucherions	nous douchions
vous	vous douchez	vous douchiez	vous êtes douché(e)(s)	vous doucherez	vous doucheriez	vous douchiez
ils elles	se douchent	se douchaient	se sont douché(e)s	se doucheront	se doucheraient	se douchent

🔊))) learnverbs.com

Sub.	Présent	Imparfait	Passé Composé	Futur	Conditionnel	Subjonctif
je (j')	me peigne	me peignais	me suis peigné(e)	me peignerai	me peignerais	me peigne
tu	te peignes	te peignais	t'es peigné(e)	te peigneras	te peignerais	te peignes
il elle on	se peigne	se peignait	s'est peigné(e)	se peignera	se peignerait	se peigne
nous	nous peignons	nous peignions	nous sommes peigné(e)s	nous peignerons	nous peignerions	nous peignions
vous	vous peignez	vous peigniez	vous êtes peigné(e)(s)	vous peignerez	vous peigneriez	vous peigniez
ils elles	se peignent	se peignaient	se sont peigné(e)s	se peigneront	se peigneraient	se peignent

🔊))) learnverbs.com

Sub.	Présent	Imparfait	Passé Composé	Futur	Conditionnel	Subjonctif
je (j')	m'habille	m'habillais	me suis habillé(e)	m'habillerai	m'habillerais	m'habille
tu	t'habilles	t'habillais	t'es habillé(e)	t'habilleras	t'habillerais	t'habilles
il elle on	s'habille	s'habillait	s'est habillé(e)	s'habillera	s'habillerait	s'habille
nous	nous habillons	nous habillions	nous sommes habillé(e)s	nous habillerons	nous habillerions	nous habillions
vous	vous habillez	vous habilliez	vous êtes habillé(e)(s)	vous habillerez	vous habilleriez	vous habilliez
ils elles	s'habillent	s'habillaient	se sont habillé(e)s	s'habilleront	s'habilleraient	s'habillent

Sub.	Présent	Imparfait	Passé Composé	Futur	Conditionnel	Subjonctif
je (j')	arrive	arrivais	suis arrivé(e)	arriverai	arriverais	arrive
tu	arrives	arrivais	es arrivé(e)	arriveras	arriverais	arrives
il elle on	arrive	arrivait	est arrivé(e)	arrivera	arriverait	arrive
nous	arrivons	arrivions	sommes arrivé(e)s	arriverons	arriverions	arrivions
vous	arrivez	arriviez	êtes arrivé(e)(s)	arriverez	arriveriez	arriviez
ils elles	arrivent	arrivaient	sont arrivé(e)s	arriveront	arriveraient	arrivent

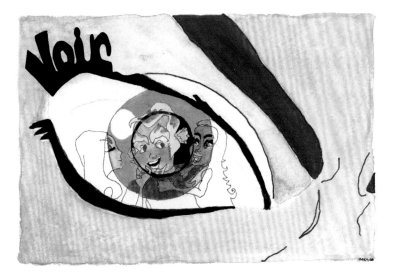

🔊))) learnverbs.com

Sub.	Présent	Imparfait	Passé Composé	Futur	Conditionnel	Subjonctif
je (j')	vois	voyais	ai vu	verrai	verrais	voie
tu	vois	voyais	as vu	verras	verrais	voies
il elle on	voit	voyait	a vu	verra	verrait	voie
nous	voyons	voyions	avons vu	verrons	verrions	voyions
vous	voyez	voyiez	avez vu	verrez	verriez	voyiez
ils elles	voient	voyaient	ont vu	verront	verraient	voient

🔊))) learnverbs.com

Sub.	Présent	Imparfait	Passé Composé	Futur	Conditionnel	Subjonctif
je (j')	crie	criais	ai crié	crierai	crierais	crie
tu	cries	criais	as crié	crieras	crierais	cries
il elle on	crie	criait	a crié	criera	crierait	crie
nous	crions	criions	avons crié	crierons	crierions	criions
vous	criez	criiez	avez crié	crierez	crieriez	criiez
ils elles	crient	criaient	ont crié	crieront	crieraient	crient

🔊))) learnverbs.com

Sub.	Présent	Imparfait	Passé Composé	Futur	Conditionnel	Subjonctif
je (j')	entends	entendais	ai entendu	entendrai	entendrais	entende
tu	entends	entendais	as entendu	entendras	entendrais	entendes
il elle on	entend	entendait	a entendu	entendra	entendrait	entende
nous	entendons	entendions	avons entendu	entendrons	entendrions	entendions
vous	entendez	entendiez	avez entendu	entendrez	entendriez	entendiez
ils elles	entendent	entendaient	ont entendu	entendront	entendraient	entendent

🔊 learnverbs.com

Sub.	Présent	Imparfait	Passé Composé	Futur	Conditionnel	Subjonctif
je (j')	me bats	me battais	me suis battu(e)	me battrai	me battrais	me batte
tu	te bats	te battais	t'es battu(e)	te battras	te battrais	te battes
il elle on	se bat	se battait	s'est battu(e)	se battra	se battrait	se batte
nous	nous battons	nous battions	nous sommes battu(e)s	nous battrons	nous battrions	nous battions
vous	vous battez	vous battiez	vous êtes battu(e)(s)	vous battrez	vous battriez	vous battiez
ils elles	se battent	se battaient	se sont battu(e)s	se battront	se battraient	se battent

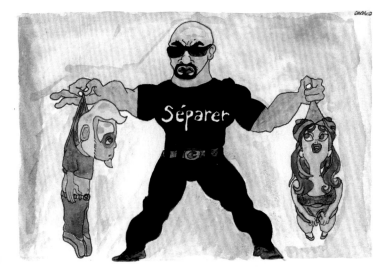

🔊))) learnverbs.com

Sub.	Présent	Imparfait	Passé Composé	Futur	Conditionnel	Subjonctif
je (j')	sépare	séparais	ai séparé	séparerai	séparerais	sépare
tu	sépares	séparais	as séparé	sépareras	séparerais	sépares
il elle on	sépare	séparait	a séparé	séparera	séparerait	sépare
nous	séparons	séparions	avons séparé	séparerons	séparerions	séparions
vous	séparez	sépariez	avez séparé	séparerez	sépareriez	sépariez
ils elles	séparent	séparaient	ont séparé	sépareront	sépareraient	séparent

Sub.	Présent	Imparfait	Passé Composé	Futur	Conditionnel	Subjonctif
je (j')	ferme	fermais	ai fermé	fermerai	fermerais	ferme
tu	fermes	fermais	as fermé	fermeras	fermerais	fermes
il elle on	ferme	fermait	a fermé	fermera	fermerait	ferme
nous	fermons	fermions	avons fermé	fermerons	fermerions	fermions
vous	fermez	fermiez	avez fermé	fermerez	fermeriez	fermiez
ils elles	ferment	fermaient	ont fermé	fermeront	fermeraient	ferment

))) learnverbs.com

Sub.	Présent	Imparfait	Passé Composé	Futur	Conditionnel	Subjonctif
je (j')	oublie	oubliais	ai oublié	oublierai	oublierais	oublie
tu	oublies	oubliais	as oublié	oublieras	oublierais	oublies
il elle on	oublie	oubliait	a oublié	oubliera	oublierait	oublie
nous	oublions	oubliions	avons oublié	oublierons	oublierions	oubliions
vous	oubliez	oubliiez	avez oublié	oublierez	oublieriez	oubliiez
ils elles	oublient	oubliaient	ont oublié	oublieront	oublieraient	oublient

🔊 learnverbs.com

Sub.	Présent	Imparfait	Passé Composé	Futur	Conditionnel	Subjonctif
je (j')	me souviens	me souvenais	me suis souvenu(e)	me souviendrai	me souviendrais	me souvienne
tu	te souviens	te souvenais	t'es souvenu(e)	te souviendras	te souviendrais	te souviennes
il elle on	se souvient	se souvenait	s'est souvenu(e)	se souviendra	se souviendrait	se souvienne
nous	nous souvenons	nous souvenions	nous sommes souvenu(e)s	nous souviendrons	nous souviendrions	nous souvenions
vous	vous souvenez	vous souveniez	vous êtes souvenu(e)(s)	vous souviendrez	vous souviendriez	vous souveniez
ils elles	se souviennent	se souvenaient	se sont souvenu(e)s	se souviendront	se souviendraient	se souviennent

🔊))) learnverbs.com

Sub.	Présent	Imparfait	Passé Composé	Futur	Conditionnel	Subjonctif
il	pleut	pleuvait	a plu	pleuvra	pleuvrait	pleuve

Sub.	Présent	Imparfait	Passé Composé	Futur	Conditionnel	Subjonctif
je (j')	parle	parlais	ai parlé	parlerai	parlerais	parle
tu	parles	parlais	as parlé	parleras	parlerais	parles
il elle on	parle	parlait	a parlé	parlera	parlerait	parle
nous	parlons	parlions	avons parlé	parlerons	parlerions	parlions
vous	parlez	parliez	avez parlé	parlerez	parleriez	parliez
ils elles	parlent	parlaient	ont parlé	parleront	parleraient	parlent

🔊 learnverbs.com

Sub.	Présent	Imparfait	Passé Composé	Futur	Conditionnel	Subjonctif
je (j')	trébuche	trébuchais	ai trébuché	trébucherai	trébucherais	trébuche
tu	trébuches	trébuchais	as trébuché	trébucheras	trébucherais	trébuches
il elle on	trébuche	trébuchait	a trébuché	trébuchera	trébucherait	trébuche
nous	trébuchons	trébuchions	avons trébuché	trébucherons	trébucherions	trébuchions
vous	trébuchez	trébuchiez	avez trébuché	trébucherez	trébucheriez	trébuchiez
ils elles	trébuchent	trébuchaient	ont trébuché	trébucheront	trébucheraient	trébuchent

🔊 learnverbs.com

Sub.	Présent	Imparfait	Passé Composé	Futur	Conditionnel	Subjonctif
je (j')	shoote	shootais	ai shooté	shooterai	shooterais	shoote
tu	shootes	shootais	as shooté	shooteras	shooterais	shootes
il elle on	shoote	shootait	a shooté	shootera	shooterait	shoote
nous	shootons	shootions	avons shooté	shooterons	shooterions	shootions
vous	shootez	shootiez	avez shooté	shooterez	shooteriez	shootiez
ils elles	shootent	shootaient	ont shooté	shooteront	shooteraient	shootent

))) learnverbs.com

Sub.	Présent	Imparfait	Passé Composé	Futur	Conditionnel	Subjonctif
je (j')	pense	pensais	ai pensé	penserai	penserais	pense
tu	penses	pensais	as pensé	penseras	penserais	penses
il elle on	pense	pensait	a pensé	pensera	penserait	pense
nous	pensons	pensions	avons pensé	penserons	penserions	pensions
vous	pensez	pensiez	avez pensé	penserez	penseriez	pensiez
ils elles	pensent	pensaient	ont pensé	penseront	penseraient	pensent

Sub.	Présent	Imparfait	Passé Composé	Futur	Conditionnel	Subjonctif
je (J')	suis	étais	ai été	serai	serais	sois
tu	es	étais	as été	seras	serais	sois
il elle on	est	était	a été	sera	serait	soit
nous	sommes	étions	avons été	serons	serions	soyons
vous	êtes	étiez	avez été	serez	seriez	soyez
ils elles	sont	étaient	ont été	seront	seraient	soient

◀))) learnverbs.com

Sub.	Présent	Imparfait	Passé Composé	Futur	Conditionnel	Subjonctif
je (j')	décide	décidais	ai décidé	déciderai	déciderais	décide
tu	décides	décidais	as décidé	décideras	déciderais	décides
il elle on	décide	décidait	a décidé	décidera	déciderait	décide
nous	décidons	décidions	avons décidé	déciderons	déciderions	décidions
vous	décidez	décidiez	avez décidé	déciderez	décideriez	décidiez
ils elles	décident	décidaient	ont décidé	décideront	décideraient	décident

🔊))) learnverbs.com

Sub.	Présent	Imparfait	Passé Composé	Futur	Conditionnel	Subjonctif
je (j')	sais	savais	ai su	saurai	saurais	sache
tu	sais	savais	as su	sauras	saurais	saches
il elle on	sait	savait	a su	saura	saurait	sache
nous	savons	savions	avons su	saurons	saurions	sachions
vous	savez	saviez	avez su	saurez	sauriez	sachiez
ils elles	savent	savaient	ont su	sauront	sauraient	sachent

🔊))) learnverbs.com

Sub.	Présent	Imparfait	Passé Composé	Futur	Conditionnel	Subjonctif
je (j')	change	changeais	ai changé	changerai	changerais	change
tu	changes	changeais	as changé	changeras	changerais	changes
il elle on	change	changeait	a changé	changera	changerait	change
nous	changeons	changions	avons changé	changerons	changerions	changions
vous	changez	changiez	avez changé	changerez	changeriez	changiez
ils elles	changent	changeaient	ont changé	changeront	changeraient	changent

🔊 learnverbs.com

Sub.	Présent	Imparfait	Passé Composé	Futur	Conditionnel	Subjonctif
je (j')	apprends	apprenais	ai appris	apprendrai	apprendrais	apprenne
tu	apprends	apprenais	as appris	apprendras	apprendrais	apprennes
il elle on	apprend	apprenait	a appris	apprendra	apprendrait	apprenne
nous	apprenons	apprenions	avons appris	apprendrons	apprendrions	apprenions
vous	apprenez	appreniez	avez appris	apprendrez	apprendriez	appreniez
ils elles	apprennent	apprenaient	ont appris	apprendront	apprendraient	apprennent

((•)) learnverbs.com

Sub.	Présent	Imparfait	Passé Composé	Futur	Conditionnel	Subjonctif
je (j')	étudie	étudiais	ai étudié	étudierai	étudierais	étudie
tu	étudies	étudiais	as étudié	étudieras	étudierais	étudies
il elle on	étudie	étudiait	a étudié	étudiera	étudierait	étudie
nous	étudions	étudiions	avons étudié	étudierons	étudierions	étudiions
vous	étudiez	étudiiez	avez étudié	étudierez	étudieriez	étudiiez
ils elles	étudient	étudiaient	ont étudié	étudieront	étudieraient	étudient

🔊))) learnverbs.com

Sub.	Présent	Imparfait	Passé Composé	Futur	Conditionnel	Subjonctif
je (j')	rêve	rêvais	ai rêvé	rêverai	rêverais	rêve
tu	rêves	rêvais	as rêvé	rêveras	rêverais	rêves
il elle on	rêve	rêvait	a rêvé	rêvera	rêverait	rêve
nous	rêvons	rêvions	avons rêvé	rêverons	rêverions	rêvions
vous	rêvez	rêviez	avez rêvé	rêverez	rêveriez	rêviez
ils elles	rêvent	rêvaient	ont rêvé	rêveront	rêveraient	rêvent

🔊))) learnverbs.com

Sub.	Présent	Imparfait	Passé Composé	Futur	Conditionnel	Subjonctif
je (j')	commence	commençais	ai commencé	commencerai	commen-cerais	commence
tu	commences	commençais	as commencé	commenceras	commen-cerais	commences
il elle on	commence	commençait	a commencé	commencera	commencerait	commence
nous	commençons	commencions	avons commencé	commen-cerons	commen-cerions	commencions
vous	commencez	commenciez	avez commencé	commencerez	commen-ceriez	commenciez
ils elles	commencent	commençaient	ont commencé	commen-ceront	commen-ceraient	commencent

🔊))) learnverbs.com

Sub.	Présent	Imparfait	Passé Composé	Futur	Conditionnel	Subjonctif
je (j')	finis	finissais	ai fini	finirai	finirais	finisse
tu	finis	finissais	as fini	finiras	finirais	finisses
il elle on	finit	finissait	a fini	finira	finirait	finisse
nous	finissons	finissions	avons fini	finirons	finirions	finissions
vous	finissez	finissiez	avez fini	finirez	finiriez	finissiez
ils elles	finissent	finissaient	ont fini	finiront	finiraient	finissent

🔊))) learnverbs.com

Sub.	Présent	Imparfait	Passé Composé	Futur	Conditionnel	Subjonctif
je (j')	gagne	gagnais	ai gagné	gagnerai	gagnerais	gagne
tu	gagnes	gagnais	as gagné	gagneras	gagnerais	gagnes
il elle on	gagne	gagnait	a gagné	gagnera	gagnerait	gagne
nous	gagnons	gagnions	avons gagné	gagnerons	gagnerions	gagnions
vous	gagnez	gagniez	avez gagné	gagnerez	gagneriez	gagniez
ils elles	gagnent	gagnaient	ont gagné	gagneront	gagneraient	gagnent

Sub.	Présent	Imparfait	Passé Composé	Futur	Conditionnel	Subjonctif
je (j')	mens	mentais	ai menti	mentirai	mentirais	mente
tu	mens	mentais	as menti	mentiras	mentirais	mentes
il elle on	ment	mentait	a menti	mentira	mentirait	mente
nous	mentons	mentions	avons menti	mentirons	mentirions	mentions
vous	mentez	mentiez	avez menti	mentirez	mentiriez	mentiez
ils elles	mentent	mentaient	ont menti	mentiront	mentiraient	mentent

Sub.	Présent	Imparfait	Passé Composé	Futur	Conditionnel	Subjonctif
je (j')	évalue	évaluais	ai évalué	évaluerai	évaluerais	évalue
tu	évalues	évaluais	as évalué	évalueras	évaluerais	évalues
il elle on	évalue	évaluait	a évalué	évaluera	évaluerait	évalue
nous	évaluons	évaluions	avons évalué	évaluerons	évaluerions	évaluions
vous	évaluez	évaluiez	avez évalué	évaluerez	évalueriez	évaluiez
ils elles	évaluent	évaluaient	ont évalué	évalueront	évalueraient	évaluent

GARNIER

🔊))) learnverbs.com

Sub.	Présent	Imparfait	Passé Composé	Futur	Conditionnel	Subjonctif
je (j')	conduis	conduisais	ai conduit	conduirai	conduirais	conduise
tu	conduis	conduisais	as conduit	conduiras	conduirais	conduises
il elle on	conduit	conduisait	a conduit	conduira	conduirait	conduise
nous	conduisons	conduisions	avons conduit	conduirons	conduirions	conduisions
vous	conduisez	conduisiez	avez conduit	conduirez	conduiriez	conduisiez
ils elles	conduisent	conduisaient	ont conduit	conduiront	conduiraient	conduisent

🔊))) learnverbs.com

Sub.	Présent	Imparfait	Passé Composé	Futur	Conditionnel	Subjonctif
je (j')	compte	comptais	ai compté	compterai	compterais	compte
tu	comptes	comptais	as compté	compteras	compterais	comptes
il elle on	compte	comptait	a compté	comptera	compterait	compte
nous	comptons	comptions	avons compté	compterons	compterions	comptions
vous	comptez	comptiez	avez compté	compterez	compteriez	comptiez
ils elles	comptent	comptaient	ont compté	compteront	compteraient	comptent

Sub.	Présent	Imparfait	Passé Composé	Futur	Conditionnel	Subjonctif
je (j')	organise	organisais	ai organisé	organiserai	organiserais	organise
tu	organises	organisais	as organisé	organiseras	organiserais	organises
il elle on	organise	organisait	a organisé	organisera	organiserait	organise
nous	organisons	organisions	avons organisé	organiserons	organiserions	organisions
vous	organisez	organisiez	avez organisé	organiserez	organiseriez	organisiez
ils elles	organisent	organisaient	ont organisé	organiseront	organiseraient	organisent

((•)) learnverbs.com

Sub.	Présent	Imparfait	Passé Composé	Futur	Conditionnel	Subjonctif
je (j')	construis	construisais	ai construit	construirai	construirais	construise
tu	construis	construisais	as construit	construiras	construirais	construises
il elle on	construit	construisait	a construit	construira	construirait	construise
nous	construisons	construisions	avons construit	construirons	construirions	construisions
vous	construisez	construisiez	avez construit	construirez	construiriez	construisiez
ils elles	construisent	construisaient	ont construit	construiront	construiraient	construisent

Sub.	Présent	Imparfait	Passé Composé	Futur	Conditionnel	Subjonctif
je (j')	nettoie	nettoyais	ai nettoyé	nettoierai	nettoierais	nettoie
tu	nettoies	nettoyais	as nettoyé	nettoieras	nettoierais	nettoies
il elle on	nettoie	nettoyait	a nettoyé	nettoiera	nettoierait	nettoie
nous	nettoyons	nettoyions	avons nettoyé	nettoierons	nettoierions	nettoyions
vous	nettoyez	nettoyiez	avez nettoyé	nettoierez	nettoieriez	nettoyiez
ils elles	nettoient	nettoyaient	ont nettoyé	nettoieront	nettoieraient	nettoient

🔊))) learnverbs.com

Sub.	Présent	Imparfait	Passé Composé	Futur	Conditionnel	Subjonctif
je (j')	polis	polissais	ai poli	polirai	polirais	polisse
tu	polis	polissais	as poli	poliras	polirais	polisses
il elle on	polit	polissait	a poli	polira	polirait	polisse
nous	polissons	polissions	avons poli	polirons	polirions	polissions
vous	polissez	polissiez	avez poli	polirez	poliriez	polissiez
ils elles	polissent	polissaient	ont poli	poliront	poliraient	polissent

Sub.	Présent	Imparfait	Passé Composé	Futur	Conditionnel	Subjonctif
je (j')	écris	écrivais	ai écrit	écrirai	écrirais	écrive
tu	écris	écrivais	as écrit	écriras	écrirais	écrives
il elle on	écrit	écrivait	a écrit	écrira	écrirait	écrive
nous	écrivons	écrivions	avons écrit	écrirons	écririons	écrivions
vous	écrivez	écriviez	avez écrit	écrirez	écririez	écriviez
ils elles	écrivent	écrivaient	ont écrit	écriront	écriraient	écrivent

🔊))) learnverbs.com

Sub.	Présent	Imparfait	Passé Composé	Futur	Conditionnel	Subjonctif
je (j')	reçois	recevais	ai reçu	recevrai	recevrais	reçoive
tu	reçois	recevais	as reçu	recevras	recevrais	reçoives
il elle on	reçoit	recevait	a reçu	recevra	recevrait	reçoive
nous	recevons	recevions	avons reçu	recevrons	recevrions	recevions
vous	recevez	receviez	avez reçu	recevrez	recevriez	receviez
ils elles	reçoivent	recevaient	ont reçu	recevront	recevraient	reçoivent

🔊))) learnverbs.com

Sub.	Présent	Imparfait	Passé Composé	Futur	Conditionnel	Subjonctif
je (j')	donne	donnais	ai donné	donnerai	donnerais	donne
tu	donnes	donnais	as donné	donneras	donnerais	donnes
il elle on	donne	donnait	a donné	donnera	donnerait	donne
nous	donnons	donnions	avons donné	donnerons	donnerions	donnions
vous	donnez	donniez	avez donné	donnerez	donneriez	donniez
ils elles	donnent	donnaient	ont donné	donneront	donneraient	donnent

🔊))) learnverbs.com

Sub.	Présent	Imparfait	Passé Composé	Futur	Conditionnel	Subjonctif
je (j')	montre	montrais	ai montré	montrerai	montrerais	montre
tu	montres	montrais	as montré	montreras	montrerais	montres
il elle on	montre	montrait	a montré	montrera	montrerait	montre
nous	montrons	montrions	avons montré	montrerons	montrerions	montrions
vous	montrez	montriez	avez montré	montrerez	montreriez	montriez
ils elles	montrent	montraient	ont montré	montreront	montreraient	montrent

🔊 learnverbs.com

Sub.	Présent	Imparfait	Passé Composé	Futur	Conditionnel	Subjonctif
je (j')	embrasse	embrassais	ai embrassé	embrasserai	embrasserais	embrasse
tu	embrasses	embrassais	as embrassé	embrasseras	embrasserais	embrasses
il elle on	embrasse	embrassait	a embrassé	embrassera	embrasserait	embrasse
nous	embrassons	embrassions	avons embrassé	embrasserons	embrasserions	embrassions
vous	embrassez	embrassiez	avez embrassé	embrasserez	embrasseriez	embrassiez
ils elles	embrassent	embrassaient	ont embrassé	embrasseront	embrasseraient	embrassent

Sub.	Présent	Imparfait	Passé Composé	Futur	Conditionnel	Subjonctif
je (j')	achète	achetais	ai acheté	achèterai	achèterais	achète
tu	achètes	achetais	as acheté	achèteras	achèterais	achètes
il elle on	achète	achetait	a acheté	achètera	achèterait	achète
nous	achetons	achetions	avons acheté	achèterons	achèterions	achetions
vous	achetez	achetiez	avez acheté	achèterez	achèteriez	achetiez
ils elles	achètent	achetaient	ont acheté	achèteront	achèteraient	achètent

Sub.	Présent	Imparfait	Passé Composé	Futur	Conditionnel	Subjonctif
je (j')	paye paie	payais	ai payé	payerai paierai	payerais paierais	paye paie
tu	payes paies	payais	as payé	payeras paieras	payerais paierais	payes paies
il elle on	paye paie	payait	a payé	payera paiera	payerait paierait	paye paie
nous	payons	payions	avons payé	payerons paierons	payerions paierions	payions
vous	payez	payiez	avez payé	payerez paierez	payeriez paieriez	payiez
ils elles	payent paient	payaient	ont payé	payeront paieront	payeraient paieraient	payent paient

🔊))) learnverbs.com

Sub.	Présent	Imparfait	Passé Composé	Futur	Conditionnel	Subjonctif
je (j')	vais	allais	suis allé(e)	irai	irais	aille
tu	vas	allais	es allé(e)	iras	irais	ailles
il elle on	va	allait	est allé(e)	ira	irait	aille
nous	allons	allions	sommes allé(e)s	irons	irions	allions
vous	allez	alliez	êtes allé(e)(s)	irez	iriez	alliez
ils elles	vont	allaient	sont allé(e)s	iront	iraient	aillent

🔊))) learnverbs.com

Sub.	Présent	Imparfait	Passé Composé	Futur	Conditionnel	Subjonctif
je (j')	me marie	me mariais	me suis marié(e)	me marierai	me marierais	me marie
tu	te maries	te mariais	t'es marié(e)	te marieras	te marierais	te maries
il elle on	se marie	se mariait	s'est marié(e)	se mariera	se marierait	se marie
nous	nous marions	nous mariions	nous sommes marié(e)s	nous marierons	nous marierions	nous mariions
vous	vous mariez	vous mariiez	vous êtes marié(e)(s)	vous marierez	vous marieriez	vous mariiez
ils elles	se marient	se mariaient	se sont marié(e)s	se marieront	se marieraient	se marient

))) learnverbs.com

Sub.	Présent	Imparfait	Passé Composé	Futur	Conditionnel	Subjonctif
je (j')	interdis	interdisais	ai interdit	interdirai	interdirais	interdise
tu	interdis	interdisais	as interdit	interdiras	interdirais	interdises
il elle on	interdit	interdisait	a interdit	interdira	interdirait	interdise
nous	interdisons	interdisions	avons interdit	interdirons	interdirions	interdisions
vous	interdisez	interdisiez	avez interdit	interdirez	interdiriez	interdisiez
ils elles	interdisent	interdisaient	ont interdit	interdiront	interdiraient	interdisent

galnica

🔊))) learnverbs.com

Sub.	Présent	Imparfait	Passé Composé	Futur	Conditionnel	Subjonctif
je (j')	nage	nageais	ai nagé	nagerai	nagerais	nage
tu	nages	nageais	as nagé	nageras	nagerais	nages
il elle on	nage	nageait	a nagé	nagera	nagerait	nage
nous	nageons	nagions	avons nagé	nagerons	nagerions	nagions
vous	nagez	nagiez	avez nagé	nagerez	nageriez	nagiez
ils elles	nagent	nageaient	ont nagé	nageront	nageraient	nagent

))) learnverbs.com

Sub.	Présent	Imparfait	Passé Composé	Futur	Conditionnel	Subjonctif
je (j')	aime	aimais	ai aimé	aimerai	aimerais	aime
tu	aimes	aimais	as aimé	aimeras	aimerais	aimes
il elle on	aime	aimait	a aimé	aimera	aimerait	aime
nous	aimons	aimions	avons aimé	aimerons	aimerions	aimions
vous	aimez	aimiez	avez aimé	aimerez	aimeriez	aimiez
ils elles	aiment	aimaient	ont aimé	aimeront	aimeraient	aiment

🔊))) learnverbs.com

Sub.	Présent	Imparfait	Passé Composé	Futur	Conditionnel	Subjonctif
je (j')	saute	sautais	ai sauté	sauterai	sauterais	saute
tu	sautes	sautais	as sauté	sauteras	sauterais	sautes
il elle on	saute	sautait	a sauté	sautera	sauterait	saute
nous	sautons	sautions	avons sauté	sauterons	sauterions	sautions
vous	sautez	sautiez	avez sauté	sauterez	sauteriez	sautiez
ils elles	sautent	sautaient	ont sauté	sauteront	sauteraient	sautent

🔊 learnverbs.com

Sub.	Présent	Imparfait	Passé Composé	Futur	Conditionnel	Subjonctif
je (j')	tourne	tournais	ai tourné	tournerai	tournerais	tourne
tu	tournes	tournais	as tourné	tourneras	tournerais	tournes
il elle on	tourne	tournait	a tourné	tournera	tournerait	tourne
nous	tournons	tournions	avons tourné	tournerons	tournerions	tournions
vous	tournez	tourniez	avez tourné	tournerez	tourneriez	tourniez
ils elles	tournent	tournaient	ont tourné	tourneront	tourneraient	tournent

Sub.	Présent	Imparfait	Passé Composé	Futur	Conditionnel	Subjonctif
je (j')	surveille	surveillais	ai surveillé	surveillerai	surveillerais	surveille
tu	surveilles	surveillais	as surveillé	surveilleras	surveillerais	surveilles
il elle on	surveille	surveillait	a surveillé	surveillera	surveillerait	surveille
nous	surveillons	surveillions	avons surveillé	surveillerons	surveillerions	surveillions
vous	surveillez	surveilliez	avez surveillé	surveillerez	surveilleriez	surveilliez
ils elles	surveillent	surveillaient	ont surveillé	surveilleront	surveilleraient	surveillent

🔊))) learnverbs.com

Sub.	Présent	Imparfait	Passé Composé	Futur	Conditionnel	Subjonctif
je (j')	reviens	revenais	suis revenu(e)	reviendrai	reviendrais	revienne
tu	reviens	revenais	es revenu(e)	reviendras	reviendrais	reviennes
il elle on	revient	revenait	est revenu(e)	reviendra	reviendrait	revienne
nous	revenons	revenions	sommes revenu(e)s	reviendrons	reviendrions	revenions
vous	revenez	reveniez	êtes revenu(e)(s)	reviendrez	reviendriez	reveniez
ils elles	reviennent	revenaient	sont revenu(e)s	reviendront	reviendraient	reviennent

🔊))) learnverbs.com

Sub.	Présent	Imparfait	Passé Composé	Futur	Conditionnel	Subjonctif
je (j')	marche	marchais	ai marché	marcherai	marcherais	marche
tu	marches	marchais	as marché	marcheras	marcherais	marches
il elle on	marche	marchait	a marché	marchera	marcherait	marche
nous	marchons	marchions	avons marché	marcherons	marcherions	marchions
vous	marchez	marchiez	avez marché	marcherez	marcheriez	marchiez
ils elles	marchent	marchaient	ont marché	marcheront	marcheraient	marchent

learnverbs.com

Sub.	Présent	Imparfait	Passé Composé	Futur	Conditionnel	Subjonctif
je (j')	demande	demandais	ai demandé	demanderai	demanderais	demande
tu	demandes	demandais	as demandé	demanderas	demanderais	demandes
il elle on	demande	demandait	a demandé	demandera	demanderait	demande
nous	demandons	demandions	avons demandé	demanderons	demanderions	demandions
vous	demandez	demandiez	avez demandé	demanderez	demanderiez	demandiez
ils elles	demandent	demandaient	ont demandé	demanderont	demanderaient	demandent

Sub.	Présent	Imparfait	Passé Composé	Futur	Conditionnel	Subjonctif
je (j')	entre	entrais	suis entré(e)	entrerai	entrerais	entre
tu	entres	entrais	es entré(e)	entreras	entrerais	entres
il elle on	entre	entrait	est entré(e)	entrera	entrerait	entre
nous	entrons	entrions	sommes entré(e)s	entrerons	entrerions	entrions
vous	entrez	entriez	êtes entré(e)(s)	entrerez	entreriez	entriez
ils elles	entrent	entraient	sont entré(e)s	entreront	entreraient	entrent

🔊))) learnverbs.com

Sub.	Présent	Imparfait	Passé Composé	Futur	Conditionnel	Subjonctif
je (j')	appelle	appelais	ai appelé	appellerai	appellerais	appelle
tu	appelles	appelais	as appelé	appelleras	appellerais	appelles
il elle on	appelle	appelait	a appelé	appellera	appellerait	appelle
nous	appelons	appelions	avons appelé	appellerons	appellerions	appelions
vous	appelez	appeliez	avez appelé	appellerez	appelleriez	appeliez
ils elles	appellent	appelaient	ont appelé	appelleront	appelleraient	appellent

🔊))) learnverbs.com

Sub.	Présent	Imparfait	Passé Composé	Futur	Conditionnel	Subjonctif
je (j')	viens	venais	suis venu(e)	viendrai	viendrais	vienne
tu	viens	venais	es venu(e)	viendras	viendrais	viennes
il elle on	vient	venait	est venu(e)	viendra	viendrait	vienne
nous	venons	venions	sommes venu(e)s	viendrons	viendrions	venions
vous	venez	veniez	êtes venu(e)(s)	viendrez	viendriez	veniez
ils elles	viennent	venaient	sont venu(e)s	viendront	viendraient	viennent

🔊))) learnverbs.com

Sub.	Présent	Imparfait	Passé Composé	Futur	Conditionnel	Subjonctif
je (j')	suis	suivais	ai suivi	suivrai	suivrais	suive
tu	suis	suivais	as suivi	suivras	suivrais	suives
il elle on	suit	suivait	a suivi	suivra	suivrait	suive
nous	suivons	suivions	avons suivi	suivrons	suivrions	suivions
vous	suivez	suiviez	avez suivi	suivrez	suivriez	suiviez
ils elles	suivent	suivaient	ont suivi	suivront	suivraient	suivent

((•)) learnverbs.com

Sub.	Présent	Imparfait	Passé Composé	Futur	Conditionnel	Subjonctif
je (j')	retiens	retenais	ai retenu	retiendrai	retiendrais	retienne
tu	retiens	retenais	as retenu	retiendras	retiendrais	retiennes
il elle on	retient	retenait	a retenu	retiendra	retiendrait	retienne
nous	retenons	retenions	avons retenu	retiendrons	retiendrions	retenions
vous	retenez	reteniez	avez retenu	retiendrez	retinendriez	reteniez
ils elles	retiennent	retenaient	ont retenu	retiendront	retiendraient	retiennent

🔊))) learnverbs.com

Sub.	Présent	Imparfait	Passé Composé	Futur	Conditionnel	Subjonctif
je (j')	attends	attendais	ai attendu	attendrai	attendrais	attende
tu	attends	attendais	as attendu	attendras	attendrais	attendes
il elle on	attend	attendait	a attendu	attendra	attendrait	attende
nous	attendons	attendions	avons attendu	attendrons	attendrions	attendions
vous	attendez	attendiez	avez attendu	attendrez	attendriez	attendiez
ils elles	attendent	attendaient	ont attendu	attendront	attendraient	attendent

🔊))) learnverbs.com

Sub.	Présent	Imparfait	Passé Composé	Futur	Conditionnel	Subjonctif
je (j')	salue	saluais	ai salué	saluerai	saluerais	salue
tu	salues	saluais	as salué	salueras	saluerais	salues
il elle on	salue	saluait	a salué	saluera	saluerait	salue
nous	saluons	saluions	avons salué	saluerons	saluerions	saluions
vous	saluez	saluiez	avez salué	saluerez	salueriez	saluiez
ils elles	saluent	saluaient	ont salué	salueront	salueraient	saluent

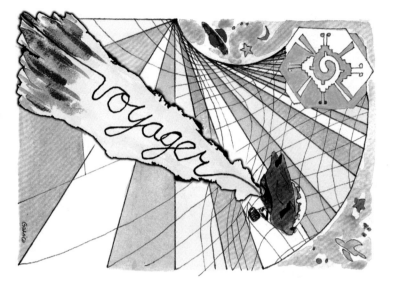

🔊))) learnverbs.com

Sub.	Présent	Imparfait	Passé Composé	Futur	Conditionnel	Subjonctif
je (j')	voyage	voyageais	ai voyagé	voyagerai	voyagerais	voyage
tu	voyages	voyageais	as voyagé	voyageras	voyagerais	voyages
il elle on	voyage	voyageait	a voyagé	voyagera	voyagerait	voyage
nous	voyageons	voyagions	avons voyagé	voyagerons	voyagerions	voyagions
vous	voyagez	voyagiez	avez voyagé	voyagerez	voyageriez	voyagiez
ils lles	voyagent	voyageaient	ont voyagé	voyageront	voyageraient	voyagent

🔊))) learnverbs.com

Sub.	Présent	Imparfait	Passé Composé	Futur	Conditionnel	Subjonctif
je (j')	m'écrase	m'écrasais	me suis écrasé(e)	m'écraserai	m'écraserais	mécrase
tu	t'écrases	t'écrasais	t'es écrasé(e)	t'écraseras	t'écraserais	t'écrases
il elle on	s'écrase	s'écrasait	s'est écrasé(e)	s'écrasera	s'écraserait	s'écrase
nous	nous écrasons	nous écrasions	nous sommes écrasé(e)s	nous écraserons	nous écraserions	nous écrasions
vous	vous écrasez	vous écrasiez	vous êtes écrasé(e)(s)	vous écraserez	vous écraseriez	vous écrasiez
ils elles	s'écrasent	s'écrasaient	se sont écrasé(e)s	s'écraseront	s'écraseraient	s'écrasent

🔊))) learnverbs.com

Sub.	Présent	Imparfait	Passé Composé	Futur	Conditionnel	Subjonctif
je (j')	répare	réparais	ai réparé	réparerai	réparerais	répare
tu	répares	réparais	as réparé	répareras	réparerais	répares
il elle on	répare	réparait	a réparé	réparera	réparerait	répare
nous	réparons	réparions	avons réparé	réparerons	réparerions	réparions
vous	réparez	répariez	avez réparé	réparerez	répareriez	répariez
ils elles	réparent	réparaient	ont réparé	répareront	répareraient	réparent

🔊))) learnverbs.com

Sub.	Présent	Imparfait	Passé Composé	Futur	Conditionnel	Subjonctif
je (j')	me tais	me taisais	me suis tu(e)	me tairai	me tairais	me taise
tu	te tais	te taisais	t'es tu(e)	te tairas	te tairais	te taises
il elle on	se tait	se taisait	s'est tu(e)	se taira	se tairait	se taise
nous	nous taisons	nous taisions	nous sommes tu(e)s	nous tairons	nous tairions	nous taisions
vous	vous taisez	vous taisiez	vous êtes tu(e)(s)	vous tairez	vous tairiez	vous taisiez
ils elles	se taisent	se taisaient	se sont tu(e)s	se tairont	se tairaient	se taisent

🔊 learnverbs.com

Sub.	Présent	Imparfait	Passé Composé	Futur	Conditionnel	Subjonctif
je (j')	allume	allumais	ai allumé	allumerai	allumerais	allume
tu	allumes	allumais	as allumé	allumeras	allumerais	allumes
il elle on	allume	allumait	a allumé	allumera	allumerait	allume
nous	allumons	allumions	avons allumé	allumerons	allumerions	allumions
vous	allumez	allumiez	avez allumé	allumerez	allumeriez	allumiez
ils elles	allument	allumaient	ont allumé	allumeront	allumeraient	allument

((()) learnverbs.com

Sub.	Présent	Imparfait	Passé Composé	Futur	Conditionnel	Subjonctif
je (j')	porte	portais	ai porté	porterai	porterais	porte
tu	portes	portais	as porté	porteras	porterais	portes
il elle on	porte	portait	a porté	portera	porterait	porte
nous	portons	portions	avons porté	porterons	porterions	portions
vous	portez	portiez	avez porté	porterez	porteriez	portiez
ils elles	portent	portaient	ont porté	porteront	porteraient	portent

🔊 learnverbs.com

Sub.	Présent	Imparfait	Passé Composé	Futur	Conditionnel	Subjonctif
je (j')	coupe	coupais	ai coupé	couperai	couperais	coupe
tu	coupes	coupais	as coupé	couperas	couperais	coupes
il elle on	coupe	coupait	a coupé	coupera	couperait	coupe
nous	coupons	coupions	avons coupé	couperons	couperions	coupions
vous	coupez	coupiez	avez coupé	couperez	couperiez	coupiez
ils elles	coupent	coupaient	ont coupé	couperont	couperaient	coupent

Sub.	Présent	Imparfait	Passé Composé	Futur	Conditionnel	Subjonctif
je (j')	fais	faisais	ai fait	ferai	ferais	fasse
tu	fais	faisais	as fait	feras	ferais	fasses
il elle on	fait	faisait	a fait	fera	ferait	fasse
nous	faisons	faisions	avons fait	ferons	ferions	fassions
vous	faites	faisiez	avez fait	ferez	feriez	fassiez
ils elles	font	faisaient	ont fait	feront	feraient	fassent

(((learnverbs.com

Sub.	Présent	Imparfait	Passé Composé	Futur	Conditionnel	Subjonctif
je (j')	filme	filmais	ai filmé	filmerai	filmerais	filme
tu	filmes	filmais	as filmé	filmeras	filmerais	filmes
il elle on	filme	filmait	a filmé	filmera	filmerait	filme
nous	filmons	filmions	avons filmé	filmerons	filmerions	filmions
vous	filmez	filmiez	avez filmé	filmerez	filmeriez	filmiez
ils elles	filment	filmaient	ont filmé	filmeront	filmeraient	filment

🔊))) learnverbs.com

Sub.	Présent	Imparfait	Passé Composé	Futur	Conditionnel	Subjonctif
je (j')	mange	mangeais	ai mangé	mangerai	mangerais	mange
tu	manges	mangeais	as mangé	mangeras	mangerais	manges
il elle on	mange	mangeait	a mangé	mangera	mangerait	mange
nous	mangeons	mangions	avons mangé	mangerons	mangerions	mangions
vous	mangez	mangiez	avez mangé	mangerez	mangeriez	mangiez
ils elles	mangent	mangeaient	ont mangé	mangeront	mangeraient	mangent

))) learnverbs.com

Sub.	Présent	Imparfait	Passé Composé	Futur	Conditionnel	Subjonctif
je (j')	me balade	me baladais	me suis baladé(e)	me baladerai	me baladerais	me balade
tu	te balades	te baladais	t'es baladé(e)	te baladeras	te baladerais	te balades
il elle on	se balade	se baladait	s'est baladé(e)	se baladera	se baladerait	se balade
nous	nous baladons	nous baladions	nous sommes baladé(e)s	nous baladerons	nous baladerions	nous baladions
vous	vous baladez	vous baladiez	vous êtes baladé(e)(s)	vous baladerez	vous baladeriez	vous baladiez
ils elles	se baladent	se baladaient	se sont baladé(e)s	se baladeront	se baladeraient	se baladent

🔊))) learnverbs.com

Sub.	Présent	Imparfait	Passé Composé	Futur	Conditionnel	Subjonctif
je (j')	suis	étais	ai été	serai	serais	sois
tu	es	étais	as été	seras	serais	sois
il elle on	est	était	a été	sera	serait	soit
nous	sommes	étions	avons été	serons	serions	soyons
vous	êtes	étiez	avez été	serez	seriez	soyez
ils elles	sont	étaient	ont été	seront	seraient	soient

🔊))) learnverbs.com

Sub.	Présent	Imparfait	Passé Composé	Futur	Conditionnel	Subjonctif
je (j')	arrête	arrêtais	ai arrêté	arrêterai	arrêterais	arrête
tu	arrêtes	arrêtais	as arrêté	arrêteras	arrêterais	arrêtes
il elle on	arrête	arrêtait	a arrêté	arrrêtera	arrêterait	arrête
nous	arrêtons	arrêtions	avons arrêté	arrêterons	arrêterions	arrêtions
vous	arrêtez	arrêtiez	avez arrêté	arrêterez	arrêteriez	arrêtiez
ils elles	arrêtent	arrêtaient	ont arrêté	arrêteront	arrêteraient	arrêtent

Index

Index

Picture Challenge

1. Who is the lion trying to protect on page 98?
2. What is the occupation of the man who sits on the chair on page 2?
3. What is the dog's name?
4. What happens to the gambler later on in the book after he loses all his money?
5. Where does the man get the flowers from on page 66?
6. How does the teacher know the student is lying on page 56?
7. What did the artist forget to draw on page 81?
8. What is different about the woman on page 64?
9. How many times does the thief appear in this book?

Test Visual

1. ¿A quién intenta proteger el león de la página 98?
2. ¿A qué se dedica el hombre sentado en la silla de la página 2?
3. ¿Cómo se llama el perro?
4. ¿Qué le ocurre al jugador cuando pierde todo su dinero?
5. ¿De dónde saca el hombre de la página 66 las flores?
6. ¿Cómo sabe el profesor de la página 56 que el alumno le está mintiendo?
7. ¿Qué olvidó dibujar el artista de la página 81?
8. ¿Qué hay de extraño en la mujer de la página 64?
9. ¿Cuantas veces aparece el ladrón en este libro?

Acknowledgements

Julian Wilkins, Xavier Ortiz, Olivia Branco, Barnaby Irving, Tristan Phipps, Ana Lucia Umpierre Leite, Marcela Slade (Book Cover Design), Jody Deane, Ina Wolbers, Nia, Natalia, Marta Lamolla, Joachim von Hülsen, Betty (the French girl), Pru and Chatter.

Rosamund Place, Jane Gaggero, Jeanie Eldon (Catalan teacher.)

Chris Ryland (*emsoftware*) For Xdata.

Special thanks to Dr. Josep-Lluís González Medina who not only reviewed the book but gave valuable feedback on the 1st edition so that the 2nd edition could be perfected. I would also like to thank the four students (also from Eton) for their constuctive feedback which helped with the last minute changes - Freddie Caldecott, Adeola Afolami, Charlie Donaldson and George Prior-Palmer.

Sue Tricio, Suzi Turner, Mrs K Merino, Maggie Bowen, Karen Brooks, Susana Boniface, Sandra Brown Hart, Mrs. R. Place, Mrs. A. Coles, Lynda McTier, Christine Ransome, Ann Marie Butemann, Paul Delaney, Mrs. Eames, Mrs. G. Bartolome, Dr. Marianne Ofner, Gail Bruce, Janet R. Holland, Cheryl Smedley, Mrs. C. Quirk, Will Fergie, Alice Dobson, Tamara Oughtred, Cathy Yates, Tessa Judkins, Andy Lowe, Andrea White and Kant Mann.

Thanks Fran for your talent, enthusiasm and professionalism, you're a great artist!!!

About the Author

Rory Ryder created the idea and concept of *Learn 101 Verbs in 1 Day* after finding most verb books time consuming and outdated. Most of the people he spoke to, found it very frustrating trying to remember the verbs and conjugations simply by repetition. He decided to develop a book that makes it easy to remember the key verbs and conjugations but which is also fun and very simple to use. Inspired by Barcelona, where he now lives, he spends the majority of his time working on new and innovative ideas.

Sobre el Autor

Rory Ryder ideó la colección *Aprende 101 verbos en 1 día* tras descubrir que la mayoría de gramáticas basaban el aprendizaje de los verbos y sus conjugaciones en la repetición constante de estructuras. Un enfoque anticuado que exige un gran esfuerzo al alumno, provocando muchas veces su desinterés. Este método convierte al lector en sujeto activo, haciendo del estudio verbal una actividad fácil, agradable y amena. Una concepción creativa e innovadora, inspirada en Barcelona, ciudad donde reside actualmente.

Other Tsunami Systems Books
Otros títulos de Tsunami Systems

Learn **101** Verbs in **1** Day Series

Aprende en **1** Día **101** Verbos